我也呜嗷呜嗷地哭了

[日]三枝三七子/文·图　彭懿 周龙梅/译

我有弟弟了。所以，我是哥哥啦！

河北出版传媒集团 · 河北少年儿童出版社

这就是我的弟弟小小猪。
可爱吧？
不过……他总是哭。

妈妈正在跟我吃饭呢……
看，小小猪哭了，肚子饿了。
呜嗷——！呜嗷——！

妈妈正在跟我玩儿游戏呢……
看，小小猪哭了，
该换尿布了。
呜嗷——！呜嗷——！

我要睡觉了。
小小猪也要睡觉了。
妈妈正在给我读图画书呢……
看……小小猪哭了。
呜嗷——！呜嗷——！呜嗷——！

就连去公园……

看！

呜嗷——！呜嗷——！呜嗷——！

明明是我的妈妈……

怎么好像被小小猪抢走了？
呜——呜——！
我一肚子的意见，
气得直呜呜。

有气出不来，
我就去欺负别的小朋友！

我就去乱打乱闹！我就说不不不！
呜——呜——呜——！

我就不说对不起！

呜——呜——！我还一肚子气呢。

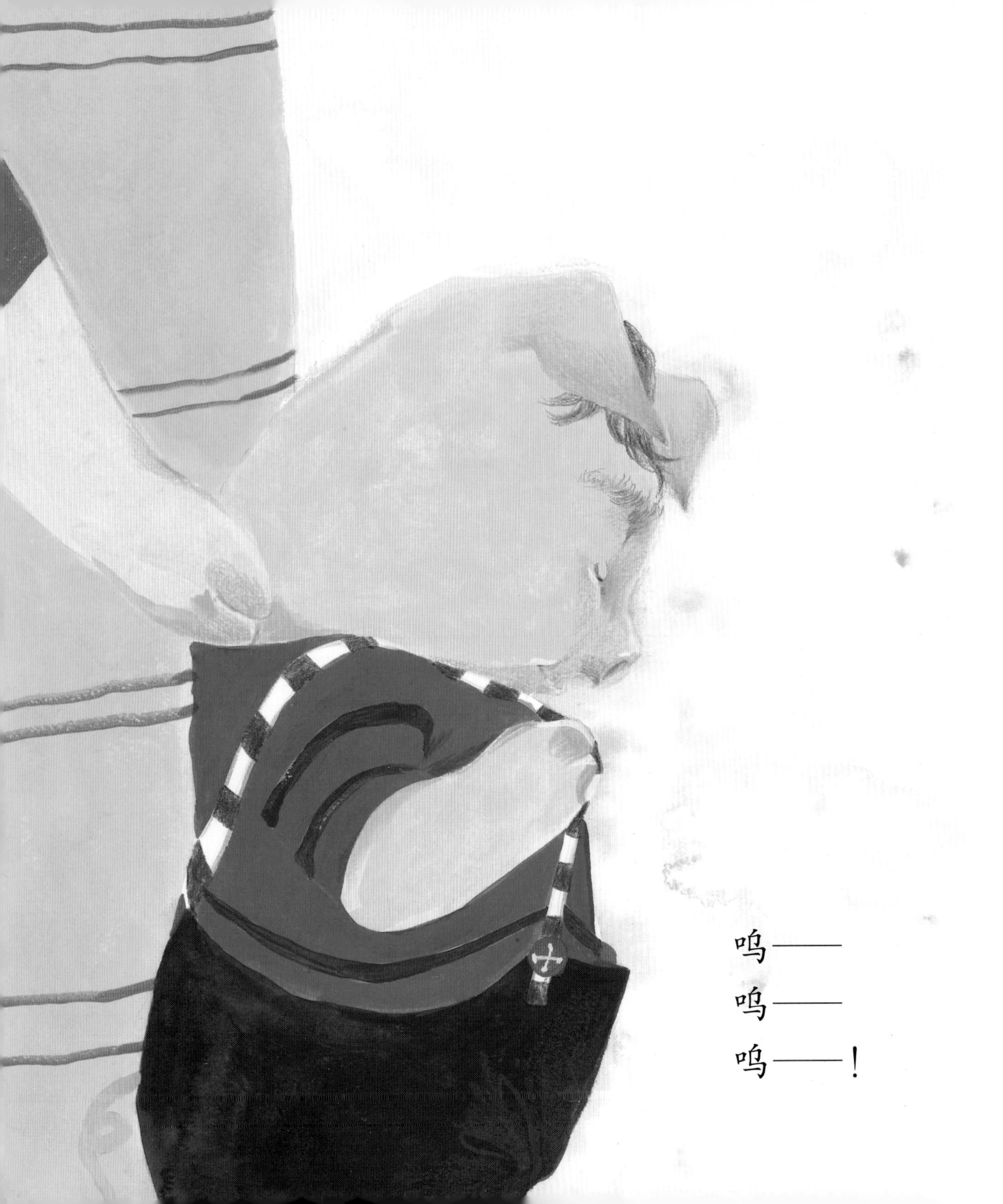

呜——

呜——

呜——！

我也

呜嗷——！

这时……

妈妈
紧紧地、紧紧地、紧紧地——
抱住了我。
我好开心，
我好温暖，
一肚子的气，全都没有了！

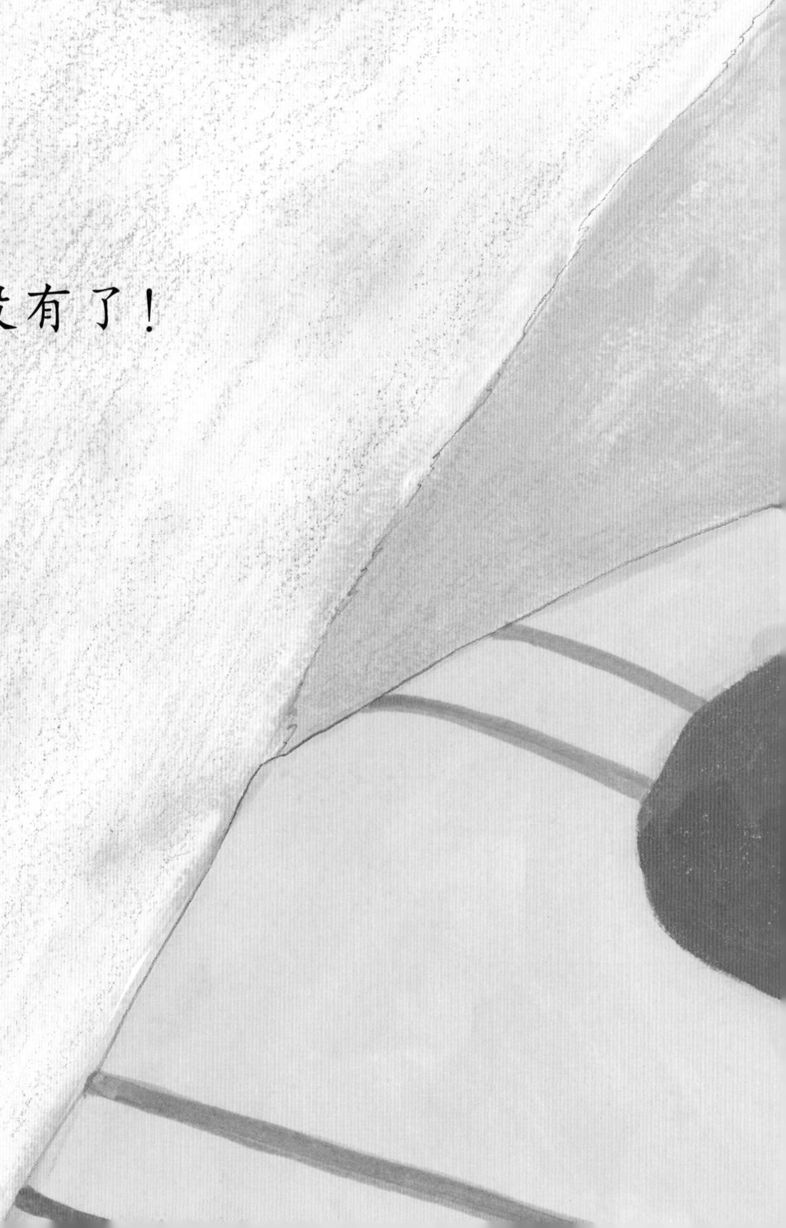

我说出口了，说出口了！
“对不起。”
于是，妈妈对我说：
“妈妈最喜欢哥哥了。”

“下次小小猪要是再哭，
我就紧紧地、紧紧地拥抱他！”

因为我是哥哥嘛！

紧紧地拥抱！紧紧地拥抱！

我是两姐妹中的妹妹，就是这个故事中的“小小猪”。姐姐上小学的时候，因为我天天“呜嗷、呜嗷”的，都成了一个不会笑的孩子了。

兄弟姐妹中的长子、长女，尽管程度不同，却都会有这方面的体验。

我只有一个孩子，所以我想他大概不会有这种感受了，可是我偶尔去喜欢一下朋友的孩子，或是去喜欢一下儿子玩伴的弟弟妹妹，竟会引起儿子的强烈反感（又何止是乱打乱闹呢）。当然，事后他也会说“对不起，对不起”。这让我惊讶，并且深深地认识到对于孩子来说，“妈妈”的眼睛朝谁看，是一件天大的事情。我在公园里总是想，虽然有的妈妈要带两三个孩子，一年到头都没有休息的时间，但还是要给每一个孩子留出“只是给你的时间”。

我母亲一个人既要照顾我们姐妹俩，又要照顾经常调转工作（有时一年甚至两次）、让人操心的父亲，十分辛苦，但是她对我们很严格。所以我想，姐姐当年一定很难过吧。为什么这么说呢，因为直到今天，我们都长成大人了，可一有什么事，姐姐就会对我说出一些刺耳的话来。每当这种时候，我总是对姐姐小声地说一句“对不起”。要是我是母亲，我就会紧紧地拥抱她！（笑）

三枝三七子

三枝三七子

出生于日本大阪。东京造型大学退学后，开始创作绘本。绘本作品有《和爸爸散步》《热乎乎的魔法》《天狗荞麦面店今日开张》。